Gargouilles

D-P Filippi & S. Camboni

Tome 4

Phidias

Couleurs Bruno Olivieri

Les Humanoïdes Associés

A Serena et à ma famille.

Merci à Denis-Pierre, à Philippe et aux Humanos de me supporter encore, arrivés au quatrième tome ; et surtout un grand merci à Bruno pour son superbe travail sur la mise en couleurs, qui a pris beaucoup de temps mais qui donne une atmosphère véritablement magique à l'album...

Silvio

Sacré Silvio !
Tu as réussi à trouver un autre magicien sarde pour nous accompagner dans cette aventure, et quel magicien !
Comme quoi être élevé à la bottarga fait des miracles !
Une bise à toi et un grand merci à Bruno !

Denis-Pierre

www.humano.com

LETTRAGE : AGNÈS MOREAU

GARGOUILLES TOME 4
PHIDIAS

PREMIÈRE ÉDITION : 2006 • LES HUMANOÏDES ASSOCIÉS
© 2006 LES HUMANOÏDES ASSOCIÉS S.A.S. • PARIS

ACHEVÉ D'IMPRIMER EN NOVEMBRE 2006
SUR LES PRESSES DE L'IMPRIMERIE LESAFFRE, À TOURNAI EN BELGIQUE.

DÉPÔT LÉGAL DÉCEMBRE 2006

ISBN : 978 2 7316 1809 9
43 1071 0

ALORS VOILÀ···

POUR GRÉGOIRE RIEN NE VA PLUS. IL VIENT DE DÉMÉNAGER DANS LA MÊME VILLE QUE SA TANTE DÉTESTÉE. IL HABITE FACE À UNE COLLÉGIALE ET LES CAÏDS DU QUARTIER SONT À SES BASQUES.

ALORS QU'IL SE RÉFUGIE SUR LE TOIT DE LA COLLÉGIALE, L'ÉTRANGE MÉDAILLON QU'IL A TROUVÉ DANS SA NOUVELLE CHAMBRE SE MET À BRILLER ET LE TRANSPORTE AU XVIIᵉ SIÈCLE.

LÀ, IL RENCONTRE PHIDIAS ET SES AMIS, LES GARDIENS DE LA DERNIÈRE PORTE QUI PERMET À LA MAGIE ET AUX ÊTRES MERVEILLEUX DE FUIR LE MONDE DES HOMMES. GRÉGOIRE NE LE SAIT PAS ENCORE MAIS IL EST PEUT-ÊTRE LEUR DERNIER ESPOIR.

IL N'Y A PLUS AUCUN MAGE AU XVIIᵉ SIÈCLE. PAR LE PASSÉ ILS PERMETTAIENT DE PROTÉGER, EN LES GARDANT SÉPARÉS, LE MONDE DE LA MAGIE ET CELUI DES HUMAINS. MAIS ILS ONT TOUS DISPARU DANS LE GRAND AFFRONTEMENT QUI EUT LIEU ENTRE LE MAGE NOIR ET LES MAGES BLANCS.

EN SUIVANT UNE FORMATION, PEUT-ÊTRE GRÉGOIRE DEVIENDRA-T-IL MAGE. MAIS IL DOIT FAIRE ATTENTION, CAR CERTAINES PERSONNES COMME SA TANTE ET L'HOMME À LA CAPUCHE SERVENT LA MAGIE NOIRE, QUI RISQUE DE S'INCARNER À NOUVEAU.

LES CHOSES SE COMPLIQUENT UN PEU PLUS LORSQUE GRÉGOIRE S'APERÇOIT QU'IL N'EST PAS LE SEUL APPRENTI MAGE. IL SE DÉCOUVRE EN EFFET UNE COUSINE, EDNA, QUI EST FORT MIGNONNE, ET SURTOUT FORT EN AVANCE SUR LUI.

EN PLUS DE CONNAÎTRE DE NOMBREUX SORTS, EDNA POSSÈDE UNE CLÉ DU TEMPS QUI LUI PERMET DE VOYAGER DANS LE PASSÉ. AFIN DE PARFAIRE SA FORMATION, GRÉGOIRE S'ARRANGE POUR REPRODUIRE CETTE CLÉ AFIN D'AIDER PHIDIAS À EMPÊCHER LA COLLÉGIALE D'ÊTRE DÉTRUITE.

SEULEMENT GRÉGOIRE FINIT PAR SOUPÇONNER LES GARDIENS DE SE SERVIR DE LUI, TOUT COMME EDNA SEMBLE ÊTRE MANIPULÉE PAR SA MÈRE ET L'HOMME À LA CAPUCHE. IL REFUSE DONC DE POURSUIVRE SON APPRENTISSAGE.

À NOUVEAU CHEZ LUI, IL APPREND QUE TOUS SES EFFORTS ONT ÉTÉ VAINS, LA COLLÉGIALE DOIT TOUJOURS ÊTRE DÉTRUITE AU XVIIᵉ SIÈCLE. IL DÉCIDE DONC D'Y RETOURNER POUR PRÉVENIR PHIDIAS, D'AUTANT QUE SA VIE AU XXIᵉ SIÈCLE NE LUI SEMBLE FAITE QUE DE TRACAS ET D'INCOMPRÉHENSIONS.

GRÉGOIRE EST À PEINE DE RETOUR QU'UN DRAME SURVIENT. UNE DES STATUES, GARDIENNE DE LA PORTE TOMBE EN POUSSIÈRE. CES STATUES SONT HABITÉES PAR L'ESPRIT D'ANCIENS MAGES. QUELQU'UN VOYAGE SÛREMENT DANS LE PASSÉ POUR EMPÊCHER LEUR CRÉATION.

GRÉGOIRE PENSE TOUT DE SUITE À SA COUSINE. IL PART DANS LE PASSÉ À SA RECHERCHE AFIN DE L'EMPÊCHER DE CONTINUER À SÉVIR. QUELLE N'EST PAS SA SURPRISE LORSQU'IL SE RETROUVE EN PLEINE BATAILLE ENTRE LES MAGES BLANCS ET LE MAGE NOIR.

EDNA SEMBLE RADIEUSE, ASSISTANT AU SPECTACLE AVEC DÉTACHEMENT. GRÉGOIRE DE SON CÔTÉ NE SAIT PLUS QUE PENSER, LES COMBATS QUI FONT RAGE LE DÉPASSENT TOTALEMENT.

EDNA REPARTIE, GRÉGOIRE EST EMMENÉ AUPRÈS DE MAGES GRAVEMENT BLESSÉS. IL ENTREVOIT LE RÔLE QUE LA MAGIE ATTEND DE LUI. IL VA TRANSMUTER L'UNE DES MAGES À L'INTÉRIEUR D'UNE STATUE, CRÉANT UNE DES GARDIENNES.

DE RETOUR SUR LA COLLÉGIALE, IL COMPREND QU'IL VA DEVOIR CRÉER TOUS LES GARDIENS. MAIS PHIDIAS DISPARAÎT À SON TOUR EN POUSSIÈRE. EST-CE LA FAUTE D'EDNA?

GRÉGOIRE SURMONTERA-T-IL CETTE NOUVELLE ÉPREUVE ?

Il faut que je m'occupe du départ des êtres merveilleux, Grégoire. Attends-moi là et nous allons réfléchir ensemble à tout ce qui vient de se passer.

Nous te remercions encore, Grégoire.

Sans toi, nous ne serions pas parvenus jusqu'ici et Elöh serait encore au service de ta tante.

Oui, un grand merci à toi, jeune mage...

Je ne suis pas mage.

Tu l'es plus que tu ne le crois, Grégoire. Il faut juste que tu le découvres par toi-même pour t'en convaincre.

Ne perds pas espoir. Les malheurs cachent parfois de plus grands bonheurs à venir.

Adieu petit homme. Je ne sais si ça peut t'aider, mais sache que ta cousine, Edna, n'a pas encore été conquise par la magie noire.

Edna...

Magie noire ou pas, elle a fait disparaître Phidias et les autres gardiens ! Et je ne vais pas la laisser continuer...

5

On dirait qu'elles vont à la maison... Je me demande ce qu'elles manigancent encore.

Dis-moi, Mélusine, tu ne m'avais pas dit que Grégoire devait aider son père et Géraud à la forge ?

Si, si, mais il a dû finir plus tôt. Il nous rejoindra sûrement après la pause...

Grégoire ?! Ton cours est déjà achevé ? Il est bien tôt, tu es encore puni ?!

Oui, enfin non, je ne suis pas puni, mais le cours est terminé. Tati et Edna sont venues pour le goûter ? Quelle chance !

Oui, elles viennent nous aider à préparer le mariage. Géraud est là aussi. Il est avec ton père, en bas, ils rentrent du bois. Tu peux aller les aider si tu veux.

D'accord, j'y vais.

Ce n'est pas la peine.

Le bois est rangé. Géraud devient de plus en plus fort, nous n'en avons pas eu pour longtemps !

Bonjour, Grégoire !

Tu devrais faire un peu d'exercice toi aussi, Grégoire. Tu es si maigre, on dirait un chat écorché !

Salut !

Ça doit être ça l'odeur alors !

Allez, pas de chamaillerie ! Puisque tout le monde est là, venez vous installer. Grégoire, sors la brioche du four s'il te plaît.

Et fais attention à ne pas te brûler les moustaches !

Y'a pas de risque, tant que tu restes loin de moi...

Edna, un petit peu plus de confiture pour terminer ton morceau ? Grégoire, veux-tu lui passer, s'il te plaît ?

Eeeh !

Voilà !

Grégoire ?! Qu'est-ce qu'il te prend ?!

Elle n'avait qu'à pas faire disparaître Phidias !

J'ai fait quoi ?! Tu divagues complètement !

Je me demande ce qui me retient de te transformer en Verlugue baveux.

Vas-y essaie pour voir !

Des gardiens...

Tu étais où, Grégoire....?!

Tu as fait disparaître Phidias et les gardiens, tu le sais très bien !

Je ne vois absolument pas de quoi tu parles. Tout ce que je sais, c'est que tu étais dans ma chambre pendant ma toilette !

C'est quoi un Verlugue baveux ?

Ça n'a rien à voir avec le sort de reproduction !

D'ailleurs à ce propos ! Tu n'aurais pas profité de l'occasion pour reproduire ma clé du temps par hasard...

Oui, eh bien ce n'est pas pareil que de faire disparaître des mages !

Allez, Géraud ! Trêve de rêverie, le travail nous attend ! On y retourne !

Je pars, moi aussi !

Tes cours sont terminés ? Ta sœur a un mariage à préparer, mais pas toi, Grégoire. Je ne tiens pas à ce que le père Philomène vienne encore se plaindre à ton propos...

TOC TOC TOC

Oui, oui, bien sûr.

Bonjour, mon père. Quelle bonne surprise !

Bonjour à tous ! Je venais m'assurer que Grégoire assisterait au moins à la fin du cours, aujourd'hui...

Grégoire... !

11

D'accord, j'y vais !

Mère, puis-je assister au cours, moi aussi ?

Si tu y tiens, à condition que père Philomène t'accepte, bien entendu.

Avec plaisir, mes bancs ont tendance à se vider plus qu'à se remplir en ce moment.

Allons-y, Géraud, laissons ces dames à leurs préparatifs...

Il est un peu bizarre Grégoire, en ce moment, non ?

On dirait que ta fille ne le laisse pas indifférent, Aglaé.

Il semblerait, en effet...

Grégoire et Edna ?! Beurk !!!

Sachant que le prix d'un bouclier est équivalent à 9/16ᵉ du prix d'une arbalète, combien de soldats devra désarmer le prince Isidor pour payer la rançon de son père ?

Je suis contente que tu sois de retour. Déjà que sans Géraud ce n'était pas drôle...

Oui, oui.

Moi il me manque ! Ça ne te gêne pas que ton père passe plus de temps avec lui qu'avec toi ?

Pourquoi tu demandes ça ?

Géraud n'arrête pas de parler de lui à la maison. Il l'admire beaucoup je crois. Il faut dire que notre père à nous est plus... sévère. Tu en as de la chance, tu le sais ?

Ah bon !

Grégoire est bien trop occupé à m'observer dans mon bain pour s'en rendre compte.

Mais pas du tout !

Il semblerait que Grégoire n'ait pas une très bonne influence sur toi, Edna. T'a-t-il déjà parlé de ma magnifique bibliothèque ?...

Je n'y suis pour rien si je suis réapparu dans ta chambre !

Et tu espères que je vais te croire !

Tu as eu peur...

De jeter le sort du rêve éveillé à père Philomène, tu n'as pas osé, c'est ça.

La magie ne sert pas qu'à fuir ses responsabilités. Mais toi non plus tu ne l'as pas jeté, et tu es là avec moi !

En effet, je voulais voir pourquoi tu te laissais enfermer ici.

Mais je ne vais pas rester longtemps. Vu qu'il n'y a que des vieux livres et de la poussière, je viens de comprendre que c'était par faiblesse.

Ah ouais ?! Figure-toi que moi aussi je pars d'ici quand je veux !

Alors pourquoi tu ne le fais pas ?

Euh...

J'attends le bon moment...

Ouille !

Qu'est-ce qu'il lui prend à celui-là ?!

Eh bien moi je ne compte pas perdre ma soirée ici.

Eh, qu'est-ce que tu manigances encore ?!

Un livre qui s'en prend à toi, c'est forcément intéressant !

Rends-moi ça tout de suite ! C'est moi qu'il a frappé, pas toi !

EEEh !

Bah ! Je l'ai déjà lu, celui-là ! Décidément la vie à tes côtés est d'un ennui !

Gggnnnh !

Je te laisse, j'ai d'autres choses plus captivantes à faire !

POUF

Attends !

Dis-moi, Galadine, tu aurais une minute, là ?

Pas vraiment, ces *Luciolites* de Grimée refusent de se rendre à la porte. Elles craignent le froid et ne veulent pas traverser les zones ombragées.

Ça va peut-être t'aider...

Eeeh !

Bien joué, Grégoire ! Suis-moi !

En fait je voulais savoir si tu savais quelque chose à propos de ce livre. Il m'est atterri sur la tête, tout à l'heure.

Tu sais, j'ai bien réfléchi, Grégoire. C'est toi qui m'as créée en tant que statue, et qui a ainsi permis que je devienne gardienne de la porte.

Elésias serait parmi nous lui aussi, s'il n'avait pas refusé que tu le transmutes en roi. En fait, je pense que c'est toi qui as créé les autres gardiens, lors des voyages que tu feras dans le passé.

Sauf que quelqu'un essaie de t'en empêcher, ce qui a fait disparaître Phidias.

Je ne comprends rien ! De quels voyages tu parles ? Je n'ai créé personne d'autre que toi, moi !

Pas encore, mais cela doit arriver. Il te reste beaucoup de choses à accomplir et tu vas devoir être vigilant, car des forces essaient de te détourner de la tâche à laquelle t'a voué la magie.

16

Ça suffit maintenant !

Tu veux dire que je vais devoir partir dans le passé et voir mourir Phidias, Anagor et Estian !

En effet, et tu sais ce que la magie attend de toi : que tu en fasses des gardiens. Cela peut arriver, ou non. A toi de faire pencher la balance du bon côté.

Ne sois pas triste, je ne crois pas qu'Edna soit vraiment en cause. Par contre, tu vas devoir te méfier de celui qui est derrière tout ça.

Super ! Mais je n'ai plus envie de voir mourir personne, moi !

Cela fait partie de ta formation. Et puis je te rappelle que nous sommes déjà tous morts, tu ne feras qu'assister à ce qui est inévitable. Ton livre d'histoire raconte tout cela d'ailleurs.

Mon livre ?! Je n'ai même pas réussi à en déchiffrer le titre !

C'est normal, tu n'as pas terminé ton apprentissage de voyageur. Ce livre raconte toute l'histoire de la magie, dont tu fais partie.

Lorsque tu seras prêt, grâce à lui, tu n'auras même plus besoin de la clé pour partir dans le passé. En attendant, il est temps pour toi de poursuivre ton chemin...

Je suis obligé...

Non, mais tu sais que c'est le mieux à faire pour l'instant. Prends soin de toi, petit homme...

Je vais essayer.

On y est !

Grégoire tu n'as qu'à t'asseoir à côté de Wallace. Que ceux qui n'ont pas subi de dommages révisent leur sort de persuasion pendant que j'aide Nestor à appliquer le sort de guérison aux autres.

En classe de gestion des êtres merveilleux récalcitrants ! Et tu étais en retard !

Tu peux préciser ? On est où exactement ? Et quand ?

Super !

Bonjour Grégoire ! Comment ça va ?

Je sais pas trop encore.

Eh ! Mais c'est mon livre !

Je savais que tu l'avais reproduit ! Rends-le-moi tout de suite !

Il n'en est pas question ! Ce n'est que le juste retour des choses.

Ne te mêle pas de ça, Phidias !

Eh ! Il ne t'a rien fait !

Il t'embête, Edna ? Je le transforme en Vazulgue ?

EEEH !

AAAH !

Que se passe-t-il ici ? Vous pouvez m'expliquer ou faut-il que je donne un avertissement à chacun ?

Grégoire nous agresse sans raison, maître Wilgur !

Pas du tout ! C'est de sa faute !

Ma tante sert le côté sombre de la magie pour que le mage noir revienne et ...

Stop !

Mais...

Stop, j'ai dit !

Grégoire, tu enfreins la règle fondamentale des apprentis voyageurs, qui interdit que l'on parle de son présent quand on est dans le passé ! Et c'est un principe capital et incontournable !

D'accord, mais...

Les "mais" sont exclus ! Je ne connais ni ta tante ni aucun mage noir, et je ne veux rien entendre de plus sur eux ! Maintenant chacun à sa place, le cours va bientôt reprendre !

C'est toujours comme ça avec les débutants !

22

D'accord mais ça va prendre encore combien de temps ? J'en ai assez de me faire malmener sans arrêt.

Ça, ça dépendra de vos progrès, à Edna et à toi. Si elle a pu reproduire pour elle ton livre, c'est que vous êtes liés. Vous devrez donc tous les deux atteindre le bon niveau avant de pouvoir le lire.

Ça ne sert donc à rien de t'opposer à elle, vous devriez plutôt vous entraider.

Les bonnes nouvelles continuent ! D'abord Phidias qui ne me reconnaît pas, maintenant il faut que j'aide Edna...

D'après ce que j'ai pu voir, c'est plutôt elle qui va t'aider. Quant à Phidias, c'est normal, on est à son époque, là. Il n'a pas voyagé dans le passé pour suivre ce cours.

Donc il ne me connaît pas encore...

Tu as tout compris !

Bien ! Maintenant que chacun a retrouvé figure humaine, nous allons pouvoir aborder une troisième voie possible pour canaliser les êtres merveilleux récalcitrants.

Mais je n'ai pas vu les deux premières, moi !

Je te montrerai, c'est les plus simples !

Il débute sa formation, mais il est très fort en soin, en persuasion et en séduction, on dirait...

C'est sympa d'en rajouter.

L'usage de la raison et le sort de persuasion fonctionnent sur la majorité d'entre eux. Mais il est parfois nécessaire d'utiliser une troisième solution : la projection phobique !

Il s'agit de créer devant l'être récalcitrant sa pire peur pour lui faire perdre ses moyens.

Devant lui, l'agressivité laisse la place à l'effroi ; on peut alors le canaliser et lui faire entendre raison plus facilement.

Voyez-vous, chaque être possède son ennemi juré, si l'on peut dire.

La formule est la même. Ce qui compte c'est de connaître l'être à créer. Avant de passer à la pratique, vous allez donc étudier un certain nombre de cas afin de vous préparer à vos futures rencontres.

Il vous faut aussi apprendre les sorts de soin qui vont avec. La théorie est une chose, mais la pratique réserve parfois ses surprises...

Nestor et moi sommes à votre disposition en cas de problème.

Hum ! Hum !

Ce n'est pas en regardant les autres le faire que tu y parviendras, Grégoire. Il est temps que tu commences à y mettre un peu du tien.

Regarde, j'ai réussi ! Encore un peu flou peut-être. A toi, essaie !

Haou ! Tu y arrives drôlement bien ! Dommage que tu ne parviennes pas à te concentrer sur le bon modèle...

Il n'est pas à l'ordre du jour d'inventer de nouvelles projections, Grégoire. Décidément, je me demande ce que l'on va faire de toi !...

C'est bon, t'as gagné ! J'abandonne.

Bon ! Maintenant que vous vous êtes bien amusés, on va passer aux choses sérieuses.

Voici votre Carte baladeuse. Elle indique pour chaque couple d'élèves les différentes étapes de cet exercice pratique.

Chouette, on va travailler ensemble !

Ça va être sympa, on commence par les Monts de Verre !

Vous pouvez y aller et bonne chance !

Edna et Phidias sont ensemble...

Tu sais te téléporter sur une carte baladeuse ? Dis, Grégoire tu m'écoutes ?

Hein ?! Oui, oui, enfin non, je ne sais pas.

Bon, c'est pas grave, je t'apprendrai plus tard.

On y va !

Eh, attends !

Au moins tu n'es plus gelé. On doit s'attendre à quoi cette fois ?

C'est dommage que tu ne te sois pas rappelé exactement du sort de soin, ça me gratte encore.

Ça !

Des Plinges ligneux ! Ça je me rappelle !

P/o

Tu t'es trompé, tu as inversé !

P/o

Ah oui, peut-être...

Tu me laisses essayer en premier cette fois, d'accord ?

On n'a qu'à essayer ensemble, le premier qui dégaine !

D'accord...

Aaah ! Mais qu'est-ce que c'est !

P/o P/o P/o

Arrête Grégoire ! Ce n'est qu'un tronc d'arbre !

Ah oui ! En tout cas j'ai dégainé le premier !

Peut-être, mais maintenant ça serait bien que tu ranges tes projections phobiques, il en traîne un peu partout ...

Pas mal, hein ?...

Certes, mais tu n'étais pas obligé de le faire aussi grand.

Dis donc, c'est pratique ce sort de réduction ! Tu dois en avoir, des trucs sympas dans tes poches !

Oui. Allez, c'était le dernier exercice, on rentre !

Déjà ?

On est en avance, on a bien mérité un petit en-cas !

On n'est pas dans la salle de classe, là !

Non, la salle est là-haut !
Mais on a un peu de temps,
on va s'acheter une petite
Shoucr'out, pour le goûter.
Je t'invite !

Une chou-croute ?!

Oui, tu vas voir,
c'est délicieux, un
peu sucré, mais c'est
ça qui est
bon !

Oh ! Oh ! Il semblerait
que d'autres aussi aient terminé
en avance, et sans une
égratignure !

Je ne suis
plus très sûr
d'avoir faim.

Félicitations, on
dirait que vous n'êtes
pas trop abîmés.

Oui,
c'est une
surprise !

C'est facile
quand on a son sort
de soin permanent, Phidias. Mais Edna ne
t'aura pas toujours
à ses côtés...

A plus
tard !

Lâche-moi,
je vais la
mordre !

Laisse les dire,
la vantardise n'a
jamais mené nulle part !
Allez viens, le cours va
reprendre, on achètera
des shoucr'out une
autre fois...

Si ce sort est si facile,
pourquoi tu ne le maîtrises
pas toi aussi ?

Bravo,
Grégoire ! On dirait
que tu t'es trouvé un
copain ! Dommage qu'il
ne vaille pas mieux
que toi...

Bien, il est temps pour vous de faire une petite pause et le cas échéant de vous faire soigner. Je vois d'ailleurs que certains ont déjà entamé une collation...

Qu'est-ce que c'est que ça ?

Ouh là ! Certains ont eu encore moins de chance que nous, on dirait...

Un tempus. Ça aide à revenir à l'heure en classe, et à la bonne époque surtout. C'est assez utile, quand on ne maîtrise pas encore les voyages temporels, comme nous...

Prenez bien vos tempus ; je vous donne donc rendez-vous dans trois quarts d'heure.

Lorsque la pause est terminée, il sonne et tu n'as plus qu'à mettre ta clé dans la serrure. Quand tu sais voyager, tu n'as même plus besoin de clé, il te ramène tout seul en classe !

Edna et Phidias sont partis ?...

Oui, Phidias est chez lui, ici, il a dû l'emmener visiter les coins romantiques ! Si tu veux on va chercher nos shoucr'out et je t'apprends à te téléporter ?

Non, non, c'est gentil, mais j'ai d'autres trucs à faire.

Ton histoire de transmutation. Mais je croyais que tu devais être avec Phidias.

Oui, mais si le mage noir n'existe pas encore, c'est que je ne suis pas à la bonne époque ! J'aurais dû y penser plus tôt !

C'est compliqué ton histoire...

Oui. Il faut que j'y aille ! A tout à l'heure !

D'accord, à tout à l'heure...

Ouh là !

Salut, Estian ! Je suis content de te voir !

Ouh Ouh ! Estian, tu es là ?...

Mais non, je suis bête, pas encore... C'est quoi ces grognements ?

On va aller voir, je t'emmène !

Et c'est parti ! Super Grégoire est de retour !

Ah !

Ce doit être Estian qui met ces géants à l'abri des regards. Il faut dire qu'ils ne sont pas très discrets...

Voilà ce qu'il en coûte lorsqu'on est trop impatient.

Qui est le nouveau chef à présent ?

Après Rouagh c'était mon tour !

Eh bien tu peux mener tes troupes, la forêt vous est à présent inoffensive.

Grosaaaarh !

Brave petit...

Quel gâchis ! Ce n'est sûrement pas Estian. Ou alors la magie et ses raisons sont décidément bien obscures...

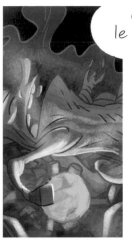

C'était le dernier ! Enfin.

Du calme, la magie a ses raisons, la magie a ses raisons...

De l'ultime souffle naît la pierre qui parle aux arbres... Tous les livres ne racontent pas que des histoires !

Alors ! Où est notre or ?!

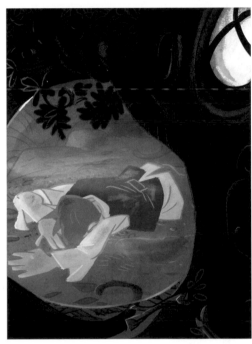

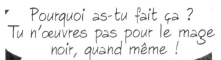

Pourquoi as-tu fait ça ? Tu n'œuvres pas pour le mage noir, quand même !

Non. Tu comprendras plus tard. Désolé, je ne connais pas le sort d'agrandissement. Je n'ai pas beaucoup de temps, les géants semblent se réveiller.

Tu peux partir, jeune apprenti. D'autres mages sont en route. Nous allons nous occuper de ramener les colosses chez eux.

Oui, mais il me faut une serrure... Dis, qui était l'autre mage ?

Je ne sais pas. Ce n'est pas le mage noir, mais il a beaucoup de noirceur en lui.

Bon, il n'y a donc aucune serrure ici ?!

Ah ! Le tempus ! Il a dû tomber de ma poche, tout à l'heure...

Bon retour alors ! Et merci, jeune apprenti !

DRiiiING

J'arrive ! J'arrive !

DRiiiING

A bientôt, Estian !

DRiiiiiNG

DRiiiiiNG

DRiiiiiNG

Voilà !

Ah ! Te voilà ! Je commençais à m'inquiéter ! Alors, tu as pu faire ce que tu voulais ?

Pas totalement, mais je progresse.

Tant mieux ! On dirait que les mages nous préparent quelque chose...

Au moins je ne me suis pas trompé à propos de Phidias, il est toujours vivant...

En effet, lui et Edna ne semblent pas s'être quittés ! Vous venez de la même époque, non ?

Oui, oui...

Bien ! Maintenant que tout le monde est là, nous allons passer à un autre niveau de gestion. Vous allez aborder des êtres vraiment dangereux !

Formidable !

Tu trouves ?

Surtout, vous devrez faire preuve d'inventivité et d'inspiration, car ceux que vous allez affronter n'ont pas d'ennemis connus à ce jour ! Pas de projection phobique efficace donc.

Euh, non je retire "formidable" !

Comment avez-vous fait alors, pour les affronter ?

C'est à toi et à ta magie de le découvrir. Sachez juste que parfois l'ignorance est la meilleure défense. Surtout que les sorts de soin permanent ne vous seront pas d'un grand secours contre eux...

Ah ça je sais faire au moins ! ⴼⵉⵍⵓ Mais je n'ai pas que des très bons souvenirs...

Ah bon ? J'ai mis des mois avant de pouvoir y arriver ! Tu es plutôt pessimiste comme garçon, non ?

En fait, j'avais un bracelet débrouillard que les lutins m'avaient offert.

Un bracelet débrouillard ?! Offert par les lutins de Carialis ?! Tu l'as toujours ? C'est génial !

Non, il a brûlé quand j'étais prisonnier sur le bateau espagnol... Et puis il faisait un peu n'importe quoi ! Il m'a allumé cette lumière quand j'étais au milieu des Gobols !

Des Gobols ?! On ne va pas affronter des Gobols quand même !

Mais non ! Grégoire plaisantait, hein que tu plaisantais...

Oui, oui, bien sûr.

Ah ben non, finalement...

Je vais essayer autre chose :

GPS

EEEH !

Ne t'inquiète pas, Grégoire, c'est toujours moi. Je vais essayer de les distraire...

Comment tu fais ça ?!

Ah, ah ! Il n'y a pas que toi qui as appris des sorts un peu spéciaux ! Tu devrais peut-être essayer le sort de dissimulation, ça m'aiderait.

GRRRR ! GrRrr !

Ok !

Allons-y, profitons-en, on dirait que ça marche.

Pas sûr, je te rappelle que je maîtrise mal ce sort. Il vaudrait mieux que je devienne invisible.

Tu sais aussi faire ça ?!

Ben oui ! C'est un des premiers trucs que j'ai appris à faire.

Ben toi alors !

Eh, Grégoire, me laisse pas, hein !

Non je suis toujours là. Il faut essayer de rejoindre Phidias et Edna, puis de retourner tous ensemble auprès des mages.

D'accord, mais tu as un plan pour arriver à faire tout ça ?

Peut-être. Tu sais faire les chatouilles ?

Tu veux qu'on les attaque avec des chatouilles ?!

Mais non, je veux que tu me chatouilles le nez.

Vas-y, il faut faire vite, chatouille-moi le nez.

D'accord, mais si on meurt ce sera de ta faute !...

AAATCHi !

Mais oui, mais oui, toi aussi tu m'as manqué !

Qu'est-ce que c'est que ça encore ?!

C'est mon Gouïfr ! Il est beau, hein ?!

Allez, régale-toi ! On y va, Wallace.

Euh... D'accord...

Regarde, Edna, on dirait qu'ils ont tous peur de ce Gouïnf buddleia.

Grégoire, attention derrière toi !

Tout va bien, c'est Wallace ! Suivez-nous, il faut rejoindre les mages pendant que le Gouïfr les distrait !

Dépêchons les enfants, le cours est terminé pour aujourd'hui !

Eh bien les enfants !
Il semblerait qu'ils aient été
plus nombreux que prévu, mais
vous vous en êtes bien
sortis ! Surtout toi,
Grégoire !

Maintenant, nous
connaissons grâce à toi la
projection phobique des Gobols !
Et ce n'est pas rien,
crois-moi ! Je te félicite,
apprenti !

Oui, je l'aurais
pas cru, mais merci
à toi !

Alors
à plus tard,
monsieur le
héros !

Bien ! Cette leçon
est terminée ! J'espère vous
retrouver pour un nouveau
cours dans l'avenir ou le
passé ! Vous pouvez partir
dès que vous êtes
soignés !

Dis donc !
Elle a raison, t'es
un héros ! Et tu vas
entrer dans les livres
de la magie, tu te
rends compte ?!

Oui,
oui... C'est
cool.

Bon allez, il faut que
j'y aille ! Mon père n'aime
pas quand je traîne
entre les cours !

On se
retrouvera en
classe !

Ok !

A la
prochaine !

Grégoire !
On dirait que
tu as réussi.

Ah bon ?!

Oui, regarde !

Salut
Grégoire !

Désolé, Estian, je ne
connais toujours pas le sort
d'agrandissement... En plus,
je n'ai pas réussi à ramener
Phidias et Anagor...

Pour Anagor je ne
dis pas, mais tu ferais
mieux de regarder
en bas...

Quelqu'un
l'a fait pour toi
on dirait...

C'est pas vrai ?!
Elle l'a ramené avec
elle ?! C'est possible
ça ?!

Normalement non, mais je pense
qu'Edna est un peu comme toi,
comment dire ?...

... spéciale !
Au fait, le sort d'agran-
dissement, c'est ﺑﺴﻢ،
mais c'est à toi
de le prononcer...

Oui, oui,
tout à l'heure !
Il faut que j'aille
voir ce qu'elle
manigance!

J'en étais
sûr !

Tu n'es pas
à un jour près, Estian.
Tu as attendu plusieurs
siècles...

Tu n'avais pas à faire ça ! Et on est où exactement, maintenant ?

Mince, c'est vrai, où on est, là ? C'est ton époque au moins ?!

Tu es jaloux à propos d'Edna, hein, c'est ça ?!

Je ne vois pas du tout de quoi tu veux parler...

Moi je crois au contraire que tu sais ! Écoute ! Tu ne connais rien de notre époque et de ce qu'il s'y passe. En plus, tu ne devrais pas t'y trouver, c'est le futur pour toi ! Les apprentis ne voyagent que dans le passé !

Je n'ai pas utilisé ma clé pour rejoindre ton époque, c'est Edna qui m'y a emmené et c'est ça qui t'énerve, avoue-le !

Ça n'a rien à voir ! Vous transgressez les règles et c'est déjà bien assez dur de les suivre.

Ah oui et qu'est-ce que tu vas faire ? Tu vas me dénoncer peut-être ?!

Moi je te dénoncerais...

Qui c'est celui-là ?!

Encore lui !

Tu le connais ?! Vous êtes qui ?

Quelqu'un qui voudrait posséder ton sort de soin permanent...

Alors, j'attends... Et je ne suis pas patient.

Ne lui dis rien !

Tu préfères peut-être que je fasse en sorte que ton ami ait besoin de ton aide pour obtenir ce que je veux ?

Phidias...

Arrête ! Laisse-le, ne lui fais pas de mal !

Tu n'as pas compris, ce n'est pas à lui que je vais faire mal, mais à toi !

Que se passe-t-il ici ?!

Tiens, tiens, tiens ...

Venez derrière moi les enfants !

Ah mais c'est encore mieux ! Au lieu de l'apprenti, j'ai le mage !

Ouille !

Tu n'as rien à faire là, toi ! C'est ton futur ici !

C'est à lui qu'il faut le dire ! C'est de sa faute !

Non, c'est à cause d'Edna !

Bon on en reparlera plus tard !

Mais vous êtes qui vous d'abord ?! C'est une manie de ne pas se présenter ?!

Je suis toi, alors maintenant fais ce que je dis !

Nooon !

Phidias !

Ne jamais perdre de temps en parlote dans un duel. C'est fatal, mais au moins on ne fait l'erreur qu'une fois...

Phidias, tiens bon !

Le sort de soin permanent ne sert plus à rien... Je suis là pour que tu fasses ce que tu as à faire, Grégoire !

Doublement merci Phidias ! Tu vois, ce n'était pas si dur... Par contre, je n'ai plus besoin de vous maintenant...

Vous êtes ignoble !

Vous allez me payer ça !

Ah ! Vous avez de la chance dirait-on. Mais on se recroisera !

DRiiiNG

Oui, je te retrouverai !

POUF

Aide-moi, Phidias !

Fais ce qu'il dit, Grégoire ne dispose plus de beaucoup de temps...

Du temps pour faire quoi ?

On doit l'approcher de cette statue ! Vite !

J'ai réussi ?! Il est là ?!

Je dirais que oui...

Phidias !

Et oui, vous avez réussi ! Tu vois, la magie a toujours raison des obstacles... Comment vas-tu jeune apprenti ?

Bien, si on oublie le fait que je me suis vu mourir !

Je sais, cela prendra du temps, mais nous nous y ferons. Tu verras, nous vivrons bien d'autres choses avant cet événement, et l'essentiel est que vous soyez arrivés à temps pour que l'on continue à exister...

Phidiaaas !

Mince ! Edna ! Elle doit me chercher depuis tout à l'heure !

Bon on se voit plus tard !

Phidias, attends ! Tu ne dois pas révéler cet endroit, c'est très important ! Pas même à Edna !

Surtout pas à elle !

Ne vous inquiétez pas, je sais garder un secret ! Et ne recommence pas à être jaloux, Grégoire.

Je ne suis pas jaloux !

Dis donc, tu sais que tu étais très pénible, enfant ?!

Et c'est toi qui dis ça...

Au fait, ce mage mystérieux, c'est le mage noir ?

Alors nous sommes trois ! Et c'est lui qui doit m'empêcher de vous créer...

Dites, y'a pas quelqu'un qui doit prononcer une formule d'agrandissement depuis 357 ans...

Non, non. On dirait un apprenti, comme vous.

Et tu as de la chance : il m'a transmuté dans une statue inachevée. J'ai dû attendre 113 ans coincée dans une falaise, avant qu'on me termine !

Si, si ! Excuse-moi !

Eh ! Je m'en vais ?!

Oui, mais tu reviendras, petit homme. Et nous t'attendrons ! Tu as encore tant à faire...

55

D'accord au revoir !

Ouch !

Maman ! Grégoire est revenu ! Il saute sur son lit !

Arrête, Muse, tu vas me chatouiller !

Grégoire ! Tu es rentré ! Dieu merci, tu n'as rien !

Comme tu m'as fait peur, mon chéri ! Je suis désolée de t'avoir crié dessus.

Cela fait quand même cinq heures que l'on te cherche partout, fiston. On s'est inquiétés, tu sais ?

Promets-nous que tu ne partiras plus comme ça, sans prévenir !

Quoi ?! C'est tout, vous ne le punissez même pas ?!

Allons, Chloé, ce n'est pas la peine d'en rajouter.

Tu promets ?

Mais c'est Grégoire !

Promis, maman ! Je ne partirai plus...